*Para Sergi y Julia*

Título original: *Aprenguem a conviure*
Traducción: Celia Filipetto


© de las ilustraciones, Roser Capdevila
© del texto, Elisabet Ballart
© Ediciones Destino, S. A., 1999
Enric Granados, 84. 08008 Barcelona
Primera edición: marzo 1999
ISBN: 84-233-3109-1
Depósito legal: B. 10.266-1999
Impreso por Gayban Grafic, S.A.
Almirante Oquendo, 1-9. Barcelona
Impreso en España - Printed in Spain

# APRENDAMOS
## A
# CONVIVIR

**ROSER CAPDEVILA**
*Ilustración*

**ELISABET BALLART**
*Textos*

**Ediciones Destino**

# Índice

Una gran aventura — Pág. 8

Y yo ¿quién soy? — Pág. 10

Mi habitación es mi refugio — Pág. 12

Pompas de jabón — Pág. 14

¡A la mesa! — Pág. 16

En la sala de estar — Pág. 18

Tú tú tuuú, comunican... — Pág. 20

Correo, fax, Internet — Pág. 22

¡De boda! — Pág. 24

Paseando por la calle — Pág. 26

La calle es de todos — Pág. 28

Viajo en metro y en autobús — Pág. 30

El colegio y los amigos — Pág. 32

El patio del colegio — Pág. 34

¡Tenemos visitas! — Pág. 36

Castillos de arena — Pág. 38

En casa de los abuelos — Pág. 40

En el cine — Pág. 42

Consejos — Pág. 44

## Una gran aventura

La vida es una gran aventura llena de sorpresas. Tú ya has comenzado a descubrirlas. ¿Dónde tiene lugar esta aventura? En el mundo, en nuestra Tierra. Comienza a descubrirla en tu pueblo, en tu ciudad. Y llegarás lejos, muy lejos, hasta donde tú quieras.

Los aventureros son muchos y muy variados. Los hay de todo tipo. De color claro, de color oscuro, de color muy oscuro. Los hay altos, bajos, gordos, delgados. Unos son hombres; otras, mujeres. Hay bebés, niños, jóvenes, adultos y ancianos. Algunos visten como tú. Otros, muy distinto a como lo haces tú. Algunos tienen una religión; otros tienen otra y hay quien no tiene ninguna. También hay gente que cree en un dios, pero la hay que no cree en ninguno.

Algunos son ricos, otros muy pobres. Los hay sabios y también ignorantes. Unos cuantos están fuertes y sanos, pero otros no son ni tan sanos ni tan fuertes y también los hay enfermos. Pero, ¿sabes una cosa? Sean como sean, todos los aventureros son personas. A lo largo de tu aventura te encontrarás con muchas y muy variadas.

Comienza la aventura siendo un aventurero fuerte, afectuoso, tolerante, respetuoso, solidario, educado, sincero, pacífico, optimista y creativo. Si así lo haces, conseguirás que la vida sea mucho más agradable, tendrás muchos más amigos y, al mismo tiempo, contribuirás a hacer que este mundo sea un poco mejor.

# Y yo ¿quién soy?

Sergio y Julia tienen una familia muy grande. Ellos son los más pequeños. Son gemelos. Se quieren mucho a pesar de que se pelean bastante. Desde hace días, Sergio ve que su hermana está ensimismada. Hoy, al salir de casa del fotógrafo, Julia ya no puede más y le suelta:

—Sergio, ¿quién soy yo?

—¡Pues eres Julia, mi hermana! —responde Sergio, muy decidido.

—Sí —dice Julia algo molesta—, ¡pero también soy persona, niña, hija, nieta, prima, sobrina, alumna, amiga, compañera!

—¡Para, para! —exclama Sergio—. Yo también soy vecino, cliente, ciudadano, deportista, invitado, turista... ¡Huy! ¡Cuántas cosas somos, Julia! ¡Hasta ahora no me había dado cuenta!

—Si seguimos pensando, seguro que se nos ocurrirían muchas más cosas que podemos ser. ¿Y sabes por qué estoy preocupada? ¡Porque no estoy segura de saber ser tantas cosas!

¿Sabes por qué Julia y Sergio son tantas cosas? Porque viven entre mucha gente y van a muchos sitios. Julia y Sergio son aventureros como tú.

Cada vez que Julia y Sergio son alguna de estas cosas y van a un sitio u otro, se dan cuenta de que deben comportarse de una manera determinada. Aunque ya ves que no siempre saben cómo hacerlo.

Por eso hemos decidido hacer este libro, para recordarte a ti, a ellos y a todos los niños cómo debéis comportaros para ser mejores como personas, niños, hijos, amigos... De este modo conseguiréis que vuestra vida y la de quienes os rodean sea mucho más feliz y agradable.

# Mi habitación es mi refugio

La habitación de Julia y Sergio es su refugio. Allí es donde se cuentan sus secretos. También es el sitio donde duermen, juegan, hacen los deberes, invitan a sus amigos. ¡Qué de cosas hacen en su refugio! Por eso, cuando lo tienen limpio y ordenado es más agradable estar en él.

Pero hay veces en que la habitación está hecha un lío. Sergio no encuentra lo que busca y se enfada con Julia. Entonces, los dos se ponen de acuerdo y deciden ordenar.

- Cuando termines de usar un rotulador, un juego u otra cosa, vuelve a guardarlo en su sitio. De ese modo, cuando lo necesites, lo encontrarás enseguida.

- La ropa se guarda en el armario, no se deja encima de la cama o en las sillas, ¿verdad? ¿Ya lo tienes todo ordenado?

- No olvides volver a cerrar la puerta del armario; si la dejas abierta, la ropa se llena de polvo; además, ¡corres peligro de darte un buen golpe!

- La cama está para dormir. Cuando llegues del colegio, no tires en ella la mochila. ¡Vete a saber tú por dónde la habrás arrastrado!

- Los libros son tus mejores amigos. ¡Cuídalos! Cuando estrenes uno, escribe tu nombre y la fecha en la primera página. Si algún día se lo prestas a alguien, sabrá a quién devolvérselo.

- Siempre hay unos juguetes con los que juegas más. Trata de desprenderte de los que no utilizas. Puedes regalárselos a otros niños o donarlos a organizaciones que los recogen en Navidades para enviarlos a niños de países lejanos. No sabes la alegría que es recibir regalos cuando no se tiene nada.

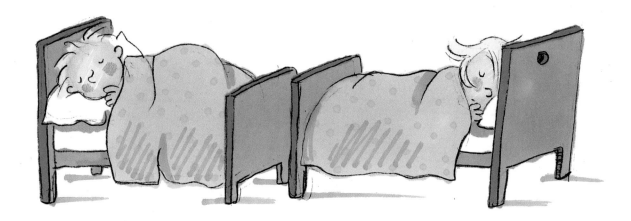

# Pompas de jabón

Por las mañanas, después de levantarse, Sergio y Julia corren al cuarto de baño a ponerse guapos. ¡Eh!, «ponerse guapos» no significa únicamente ir a la moda. ¡Sino también estar bien limpios e ir bien peinados! Sergio y Julia no le tienen miedo al agua. Además, saben que estar limpios es señal de respeto hacia sí mismos y los demás.

¿Baño o ducha? Lo que tú prefieras. Si tienes poco tiempo, lo mejor es una ducha rápida. Puedes ducharte por la mañana o por la noche. ¡Tú eliges!

¿Y la cabeza qué? ¡Vamos, perezoso! Lávatela al menos dos veces por semana. Se te aclararán las ideas y estarás más guapo.

¿No son las manos la parte del cuerpo que más utilizas? Por eso mismo es importante que te las laves seguido. Trata de hacerlo siempre que estén sucias. Y sobre todo antes de comer, después de ir al lavabo y de haber jugado con animalitos.

¿Cuándo debes cepillarte los dientes? Después de comer y todas las veces que tengas ganas de refrescarte la boca. Si lo haces así, no tendrás que pasar por la tortura de tener que ir al dentista.

¡Eh, despistado! No te olvides de tapar todos los frascos de los productos que has utilizado: el gel, el champú y el suavizante.

Todas las veces que se te termine el papel higiénico, acuérdate de colocar otro rollo. ¡Hazlo! ¡No cuesta nada!

Cuando hayas terminado de utilizar el váter, ya lo sabes... ¡haz correr el agua!

# ¡A la mesa!

Las carreras de la mañana continúan. Es hora de desayunar. Sergio prepara la leche para los dos, mientras Julia hace unos bocadillos. ¡Está bien eso de repartirse el trabajo!
¡A la mesa, a la mesa! ¡Que llegamos tarde! Julia y Sergio se sientan, se ponen la servilleta en la falda y saborean este desayuno tan bueno que han preparado. ¡Eh, chicos! ¡Limpiaos los «bigotes» antes de terminar!

- Puedes ayudar a poner la mesa. Cuando termines de comer, aunque tengas la barriga llena, ayuda también a recogerla.

- Te sientas a la mesa no sólo para comer sino para hablar con los demás. ¡Pero cuidado! No lo hagas con la boca llena, primero traga y luego, si quieres, puedes soltar un discurso.

- Mastica con la boca cerrada o en una de ésas te tragarás una mosca.

- ¡Vaya suerte la tuya! Has encontrado un trozo de pastel que sobró de ayer. ¿Qué tal si lo compartes con alguien?

- No bebas nunca con la boca llena y trata de no hacer ruido cuando tragues el agua.

- La servilleta evita que te ensucies. Póntela en la falda, úsala de vez en cuando y siempre antes de beber agua. ¡Eh, cuidado! ¡Nada de secarse con ella como si fuera una toalla! Al terminar, no olvides colocarla dentro del servilletero.

- Cuando termines de comer, coloca el cuchillo y el tenedor uno al lado del otro, sobre el plato, como si los aparcaras.

17

## En la sala de estar

Esta tarde, Julia y Sergio necesitan compañía; cargados de juguetes, se van a jugar a la sala. ¡Qué suerte! ¡Su padre jugará con ellos! Pero cuando terminan, el padre les recuerda que deben guardar los juguetes. ¡Uf! ¡La cosa ya no es tan divertida! Sergio y Julia saben que su papá tiene razón y que no hay que discutir. Un poco enfurruñados van guardando los juguetes en su sitio.

- A veces hay discusiones en las que cuesta ponerse de acuerdo. Debes respetar la opinión de los mayores y saber aceptar las razones que te dan. ¡Y no enfadarte cuando te recuerden que es hora de ir a la cama!

- Si te tumbas en el sofá en lugar de sentarte, no habrá sitio para nadie más.

- A veces, cuando estás con tus amigos, os cuesta decidir qué programa de televisión o qué vídeo queréis ver. ¡Nada de peleas! Hablad y tratad de llegar a un acuerdo. Las peleas conducen a la violencia. Pero el diálogo os permite a todos crecer como personas y ser más amigos.

- Cuando veas la televisión, trata de hacerlo en compañía de tus padres o de algún hermano mayor. De ese modo, si hay algo que no entiendas bien, podrás comentarlo con ellos y seguro que te divertirás más.

- No vale hacer zapping a cada momento sin consultar a nadie. Los demás podrían enfadarse. ¡Y con razón!

- La música te hace sentir más contento. No hace falta que la pongas a todo volumen. ¡A lo mejor tus vecinos no tienen ganas de escuchar música!

# Tú tú tuuú, comunican...

—¡Julia, teléfono! —grita mamá.

—¡Grr! ¡Julia, Julia! Siempre Julia, ¿y yo qué? ¿Por qué no me llaman a mí? —protesta Sergio, muy enfadado.

Muchas veces, Julia siente necesidad de comunicarse con sus amigos. Pero Sergio no tiene esta necesidad, aunque le gustaría que sus amigos lo llamaran.

Esta tarde Julia se ha pasado mucho rato al teléfono y su padre ha tenido que aclararle:

—Julia, recuerda que el teléfono no es para hacer llamadas tan largas. Mañana ya te verás con tus amigos y podréis contaros lo que queráis.

Sergio se los ha mirado de reojo.

---

- Cuando llames por teléfono, trata de que sea a horas razonables: ni muy temprano por la mañana ni muy tarde por la noche, cuando tus amigos pueden estar durmiendo.

- Cuando llames a alguien, primero saluda, pregunta por la persona con la que quieras hablar, di quién eres y explica el motivo de tu llamada. Despídete cuando hayas terminado.

- Trata de ser preciso en tu mensaje y no hables mucho rato. Alguien de tu familia puede estar esperando una llamada o tener necesidad de llamar.

- Cuando respondas a una llamada hazlo con un «¿dígame?» y espera que te contesten. Si no es para ti, pregunta quién es, diciendo, «¿de parte de quién?». Si la persona por la que preguntan no está en casa, toma nota del mensaje. Entérate bien del nombre de quien llama, del motivo de la llamada y apúntalo en un papel. Apunta también a qué hora ha llamado.

- Cuando llames a alguien y te conteste un contestador automático, deja muy claro tu mensaje: tu nombre, la hora, el motivo de tu llamada y, si es preciso, tu número de teléfono.

21

# Correo, fax, Internet

Sergio y Julia han ido de excursión con sus compañeros de clase. Es la hora de la siesta y los dos escriben con mucho entusiasmo. Julia prepara una postal a sus abuelos con una letra muy bonita. Sergio redacta una carta a sus padres, pero no escribe mucho porque enseguida se pone a hacer un dibujo muy divertido en el que se los ve a él y a su amigo Pedro escalando una montaña.

Cuando vayas de viaje con tu familia o de excursión con tus amigos, puedes mandar cartas, si tienes muchas aventuras que contar, o postales si no dispones de mucho tiempo o no tienes muchas ganas de escribir. ¡Que no te dé pereza escribir! ¡Acuérdate de cómo te gusta encontrarte con un sobre dirigido a tu nombre! Tus amigos también se alegrarán porque sabrán que te acuerdas de ellos.

Quizá dispongas de ordenador para hacer los trabajos de la escuela, con títulos y dibujos muy bonitos. También puedes dedicar un buen rato a jugar con un CD-Rom. ¡Pero cuidado con pasarte el día delante de la pantalla!

Si tienes ordenador, con ayuda de una persona mayor puedes conectarte a Internet e investigar un tema concreto que te interese. Y si tienes algún familiar o amigo en el extranjero, podrás comunicarte fácilmente con él a través del correo electrónico.

El fax sirve para enviar mensajes escritos, especialmente números y dibujos. Comienza el fax poniendo primero el nombre de la persona a quien va dirigido y debajo tu nombre, como el de la persona que lo remite. Pon la fecha y escribe o dibuja tu mensaje. Despídete y firma.

También puedes escribir cartas para invitar a alguien a una fiesta o para agradecer un regalo que te hayan hecho.

23

# ¡De boda!

Hoy es un día muy especial. Sergio y Julia se han vestido de fiesta porque hoy se les casa una tía. Es la primera vez que van a una boda y están un poco nerviosos. ¡Huy! ¡Cuánta gente! ¿Cómo harán para saludar a todos?

La mesa es una pasada. Hay montones de platos, copas y cubiertos. Cuando Julia y Sergio ven aquello, se quedan boquiabiertos y piensan que comer con todo eso será más complicado que jugar al Scrabble. Tendrán que recordar cómo hay que comportarse en la mesa.

- Ir a una boda no es lo mismo que ir de excursión. Vístete para la ocasión. ¡Ponte bien guapo!

- En cuanto llegues a la fiesta, di «buenos días» o «buenas tardes».

- Saluda a las personas conocidas con un beso; si son niños muy pequeños, lo mejor será que les des un beso en la cabeza.

- Trata de «usted» a todas las personas mayores que no sean familiares tuyos o personas muy conocidas.

- Si hay algo que no te guste comer, trata de disimular y pruébalo, aunque sea un poquito.

- Siempre que necesites algo, pídelo con las palabras mágicas, «por favor».

- La fiesta ha terminado. Para despedirte, da las gracias por todo y di «adiós» o «hasta pronto».

# Paseando por la calle

Sergio y Julia viven en la calle de las Mimosas. Esta mañana, antes de salir para el colegio, el padre les explica que la calle les pertenece un poco, porque forma parte de esta gran casa que es la ciudad donde vivimos.

Se despiden del padre y salen. Caminan muy orgullosos, admiran las mimosas perfumadas y después de saludar a doña María con un «¡Buenos días!», se dan prisa porque no quieren llegar tarde al colegio.

- Camina tranquilamente por la acera. Si llevas mucha prisa y tienes que correr, trata de hacerlo sin atropellar a los transeúntes.

- Si vas caminando con tus amigos, tratad de no ocupar toda la acera. Deja paso a los demás, puede que tengan más prisa que vosotros.

- Cuando te detengas a hablar con alguien, a mirar un escaparate o a atarte el zapato, trata de no cortarle el paso a los demás.

- Ayuda a los ciegos a cruzar la calle. También puede haber algún abuelo que necesite tu ayuda.

- No ensucies la calle. ¡Practica puntería! Lanza los papeles y los chicles usados a la papelera. Tampoco dejes que la ensucie tu perro. ¡Piensa que si lo hace, el guarro eres tú!

- Cuando entres en una tienda, mantén la puerta abierta y deja pasar primero a los mayores y a quien tenga alguna discapacidad.

- Si llueve, coge con fuerza el paraguas para que no vaya de aquí para allá y moleste a los demás.

27

# La calle es de todos

Al regresar del colegio, Julia y Sergio se han ido a la placita a hacer los deberes, porque el maestro les ha pedido una lista del mobiliario urbano. Su madre les explica qué quiere decir eso de mobiliario urbano y ellos empiezan a escribir: papeleras, jardineras, bancos, cabinas de teléfono, columpios...

—¡Huy! ¡Papá tenía razón cuando decía que la calle también era nuestra casa, fíjate la de muebles que hay!

- Cuida el mobiliario de la calle (bancos, papeleras, jardineras, etc.) como si fueran los muebles de tu casa. Tú también eres responsable de su buen uso; de esa manera ayudarás a ahorrar en gastos de mantenimiento y contribuirás a que todo el mundo pueda utilizarlo.

- Las cabinas de teléfono son de gran utilidad y debes cuidarlas. No comas pipas cuando telefonees, ni dejes chicles pegados, ni escribas en las paredes. Sobre todo, trata bien el aparato de teléfono.

- Los bancos son para sentarse y descansar. Cédele el lugar a las personas que lo necesitan.

- Tu hermanito va sentado en la sillita del coche, bien sujeto. Pero tú, que eres mayor, puedes ponerte el cinturón de seguridad.

- Cuando vayas en coche, trata de no molestar al conductor. Puedes distraerte mirando por la ventanilla o entretenerte contando las cosas que ves. ¡Ah! Ni se te ocurra sacar la cabeza por la ventanilla. Es muy peligroso.

- Cruza la calle por el paso peatonal y respeta siempre las indicaciones del semáforo. ¡Es una cuestión de seguridad!

# Viajo en metro y en autobús

Es domingo y mamá dice que irán a visitar al tío Tomás. Sergio y Julia saltan de alegría.
—¡Yupi! Iremos en metro —exclama Julia—. Es más rápido y además me gusta el traqueteo que hace.
Pero Sergio no está de acuerdo. Dice que quiere ir en autobús, porque así puede ver el cielo, la gente, las casas, los coches. ¿Cómo harán para ponerse de acuerdo?

- ¡ANTES DE ENTRAR, DEJEN SALIR! No lo olvides nunca al subir al metro o al autobús. Además, debes dejar entrar antes que tú a las personas con alguna dificultad. Y no empujes nunca. ¡Tranquilo, que no se irán sin ti!

- Ayuda a subir y a bajar a las señoras que lleven bebés en brazos, a quien vaya muy cargado y a los ancianos. ¡Todos te lo agradecerán!

- Acostúmbrate a ceder el asiento a las personas que lo necesitan más que tú: mujeres embarazadas, ancianos o discapacitados. ¡No finjas que no los has visto!

- Si te gustan las pipas, lo mejor es que te las comas en casa. Si lo haces en el metro o en el autobús, trata de no escupir las cáscaras como un surtidor.

- Si escuchas música con el radiocasete y sin auriculares, los demás pasajeros pueden acabar destrozados.

- ¡Seguro que sabes sentarte bien sin ensuciar los asientos con los zapatos!

- Cuando viajes con amigos, no juguéis a la pelota ni a daros carterazos. ¡Podríais acabar pegándole a algún pobre pasajero!

- Si viajas de pie, agárrate fuerte. ¡No sea que con un frenazo vayas a parar a la otra punta!

# El colegio y los amigos

Hoy ha llegado un nuevo niño a clase. Viene de un país muy lejano. Tiene la piel color chocolate, el cabello tan rizado que da gusto tocarlo y los ojos negros tan grandes que da la impresión de que quisieran contar muchas cosas. Pero no puede decir nada porque todavía no sabe hablar como Julia o como Sergio. El maestro les ha dicho que Vamwa viene de África y les ha contado cosas muy bonitas de su pueblo. Era como un cuento. Pero no lo es, porque es verdad. Julia no ha tardado en hacerse amiga de él y quiere enseñarle muchas cosas.

- ¡Sé puntual! ¡A nadie le gusta esperar! Además, tu presencia es necesaria para que todos puedan empezar la clase a la vez.

- Trata de hablar con un tono de voz normal, ni muy alto ni muy bajo. De ese modo, sin darte cuenta, todos adoptarán el mismo tono y la conversación será mucho más agradable.

- Comparte tus cosas con tu compañero. Pídele permiso cuando vayas a tomar prestado algo de él.

- Debes ser educado y respetuoso con tus profesores. Son personas preparadas para enseñarte.

- Pide permiso para entrar en un aula y una vez lo hayas hecho, dirígete primero al profesor.

- No corras ni grites por los pasillos. Ve caminando y saluda a los profesores, al personal de la escuela y a los compañeros con los que te cruces.

- Cuando subas o bajes las escaleras, ponte siempre a la derecha. ¡Así no habrá peligro de choques!

# El patio del colegio

En el colegio, además del patio hay un polideportivo, donde se juegan los partidos de baloncesto, de fútbol y de balonmano. Para practicar estos deportes todos tienen que cumplir un reglamento. Sergio juega a baloncesto y conoce muy bien las reglas y a Julia se le da muy bien el fútbol.

Hoy, Julia hace de árbitro; es la responsable de que todos respeten las normas. Cuando termina el partido, Julia piensa: «Si para jugar un partido de fútbol hay que cumplir con unas normas, mucho más importante será cumplir con las normas para jugar el gran partido de la vida».

- Recuerda que no siempre podrás jugar a lo que tú quieras. Debes respetar la opinión de los demás. Tienes que tratar de ponerte de acuerdo con los demás niños.

- Si te ganan, debes aceptarlo con naturalidad. Saber perder es síntoma de inteligencia. La inteligencia no está sólo en la cabeza, sino también en el corazón.

- Cuando juegues a baloncesto o a un simple juego de pelota, acepta las normas. Siempre hay un equipo ganador y otro perdedor, pero todos deben participar en el juego. Aplaude la victoria del equipo vencedor.

- ¡Nada de juegos violentos! Ya sabes que la violencia no trae más que violencia. ¡Y además podrías acabar en la enfermería! ¿Todo para qué? ¿No era un juego?

- A veces, para dar por concluida una pelea hay que pedir perdón y hacer las paces. Si lo haces, que sea de verdad.

# ¡Tenemos visitas!

—¿Por qué será que cuando vienen según qué amigos, papá y mamá dicen que «tienen visitas»? —se preguntan Julia y Sergio.

Su madre les explica que los amigos son como de la familia, pero a veces, vienen personas conocidas que no son tan amigas y por eso hay que ser con ellos un poco más respetuosos y refinados que de costumbre.

Sergio propone a Julia que el lunes, cuando lleguen sus amigos, jugarán a «las visitas». Él preparará una infusión y ella podría hacer unos canapés. ¡Menuda idea! ¡Será muy divertido!

---

- Papá y mamá tienen visitas y te llaman para presentártelas. Saluda a los visitantes con un beso o dándoles la mano y diciendo: «Hola, ¿cómo está?». Sé amable y contesta educadamente a todas las preguntas que te hagan.

- Terminadas las presentaciones, vete a tu dormitorio; estas personas han venido a ver a tus padres.

- No interrumpas la conversación de los mayores para decir que tienes hambre o que quieres merendar. Espera o toma algo tú solo.

- No te metas en la conversación sin que te lo pidan. Tampoco te hagas el gracioso contando tonterías. ¡Podrías resultar un verdadero plomo!

- Si las visitas están en la sala de estar, que es el lugar donde suele estar el televisor, tendrás que esperarte a que se hayan ido para ver tu programa preferido.

- Cuando se vayan las visitas, despídete de ellas. Ábreles la puerta, pero espera un momento antes de volver a cerrarla y, cuando lo hagas, que sea con suavidad. Si das un portazo parecerá que quieres decir: «¡Ya era hora!».

# Castillos de arena

Esta noche, antes de ir a la cama, el padre les dice que mañana irán a la playa. ¡Qué contentos están! Sergio dice que él hará volar su cometa y Julia dice que ella se pondrá a pescar. La madre sólo sueña con descansar.

Ya están en la playa. Hay mucha gente, pero han encontrado un rincón para tender sus toallas. Sergio prepara su cometa y se va.

—Ten cuidado, Sergio. ¡No se te olvide el lugar donde estamos!

- Al llegar a la playa busca un lugar para tender la toalla. No la pongas demasiado pegada a la otra gente, deja un espacio libre, de esa manera podrás ir y venir sin echarles arena.

- Quizá conozcas a niños de otros países que han venido de vacaciones. Trata de ser simpático e invítalos a jugar contigo. Si no sabes su idioma, puedes entenderte con señas. ¡Verás cómo mola!

- Diviértete mucho, pero cuando juegues a hacer castillos y hoyos, trata de no tirar arena ni de salpicar a tus vecinos. ¡Cuidado! ¿Qué pasa cuando tu perro sale del agua?

- Antes de meterte en el agua, fíjate de qué color es la bandera que indica el estado de la mar. Sé prudente y respétala siempre.

- ¿Te has fijado en el ruido que hace el ir y venir de las olas? ¡No te pierdas su música poniendo el radiocasete a todo volumen!

- En la playa es fácil desorientarse y podrías perderte. Memoriza siempre los puntos de referencia, como los colores de las sombrillas que hay a ambos lados de la tuya o alguna barca o tabla de surf que estén sobre la arena.

# En casa de los abuelos

Este fin de semana, los padres de Julia y Sergio se han ido de viaje y los niños se han quedado en casa de los abuelos. Los abuelos están muy contentos porque cuando llegan los nietos, la casa se llena de alegría.

Sergio dice que es justo al revés, que es él quien está súper contento, porque podrá jugar con el tren eléctrico de cuando el abuelo era niño. Es increíble, tiene luces, estaciones, túneles y desvíos.

- Hay muchos tipos de abuelos: serios, divertidos, deportistas, enfermos, simpáticos y huraños. Pero lo que tienen en común es que todos son como un libro. El libro de toda una vida. Y a ti te gustan mucho los libros, ¿no?

- Los abuelos te hacen un regalo muy valioso. Son los únicos capaces de contarte historias de antiguos amores y guerras pasadas.

- Ve a pasear con tus abuelos. Seguro que en su compañía descubrirás algún rincón de la ciudad que no conocías.

- Hay abuelos que tienen problemas para andar o subirse al autobús y les resulta difícil ir a verte. Tú estás en plena forma. ¡Ve tú a visitarlos!

- Cuando vayas a ver a tus abuelos, llévales un regalo bonito. No hay nada mejor que un dibujo hecho por ti. Cuando lo miren, se acordarán de ti.

- Habla con tus abuelos, cuéntales cosas. Tú estás lleno de vida y, sin darte cuenta, les estás regalando un trozo de la tuya.

- ¿Sabías que en las civilizaciones antiguas los ancianos eran los sabios que aconsejaban al grupo? ¡Si tienes la suerte de tener abuelos, disfruta de ellos!

41

# En el cine

—¿Cuándo iremos al cine? —pregunta Julia.
Sus padres le contestan que irán cuando hagan una película que les interese a todos.
—¡Ya sé cuál! —dice Sergio—. ¡La guerra de los caramelos!
—¡Ni hablar! Nada de guerras —contesta Julia rápidamente.
Está claro que resulta difícil ponerse de acuerdo a la hora de elegir una película. Julia dice:
—Tendría que ser una película de aventuras fantásticas, llena de sorpresas, con paisajes maravillosos, protagonistas exóticos, que haga reír y no haga llorar nada, que no sea de miedo...
¡Vaya! ¡Cuántas cosas pide Julia!

- Generalmente, antes de entrar en el cine, tendrás que hacer cola. Ten paciencia y espera que llegue el momento deseado. Mientras tanto, no te quejes, no digas que estás cansado ni empieces a pedir que te compren golosinas.

- Recuerda que vas al cine a ver y escuchar una película. Quédate callado, abre bien los ojos y presta mucha atención.

- Siéntate bien en tu butaca, trata de no molestar moviendo la cabeza de aquí para allá. ¡O marearás a quien esté detrás de ti!

- Hay cines donde permiten comer ciertas golosinas. Si te pones a comer, trata de no hacer ruido con los papeles ni con la boca.

- Antes de salir del cine, asegúrate de recoger los envases y papeles para tirarlos en la papelera que hay a la salida.

# Consejos

¡No, no daremos más consejos! Sólo queremos recordarte
que las sugerencias de este libro representan una tarea en
la que todos estamos implicados: padres, maestros, niños...
la sociedad entera. Porque como nos dicen los abuelos:
«no hay nada mejor que predicar con el ejemplo».
Es evidente que enderezar un árbol cuando ya está
crecido supone un esfuerzo muy grande, mientras que
moldear a los pequeños es el placer de participar en un
arte común: el arte de hacer que la vida en este mundo
sea más hermosa y armónica para todos.
Con este libro somos conscientes de que lo hacemos
desde los pequeños detalles de lo cotidiano, con la
esperanza de que nuestro trabajo supere las fronteras del
tiempo y el espacio y contribuya a hacer de este mundo un
sitio un poco mejor.
Este libro puede leerse de distintas maneras.
Sergio y Julia son el hilo conductor y su historia se va
desarrollando a lo largo de todas las situaciones que
aparecen.

A cada situación planteada le corresponde una serie de normas de convivencia. Algunas de estas normas están representadas con dibujos. Las situaciones que muestran comportamientos correctos van acompañadas de un ojo abierto. A las situaciones incorrectas les corresponde un ojo cerrado. El niño seguirá los dibujos con facilidad y descubrirá en ellos las distintas situaciones ayudado de un adulto que lo hará reflexionar sobre las normas escritas.
El ojo abierto o cerrado indicará al niño si su razonamiento es correcto o no.
Más adelante, el niño leerá solo y buscará en las ilustraciones las distintas situaciones.